네 생각보다 더 너를 사랑해

"네 생각보다 더 너를 사랑해"

글 · 그림 이단비

규장

히히,
아, 재밌다.
이것만 보고
일해야지.
ㅋㅋㅋ

5분만 더…
아우, 졸려…
조금만 더 자고
움직여야지.

악, 빨리 가야지.
예배 늦겠다!!!
3분 전이야!

오우, 이거
완전 이쁘다-
사야겠어.
완전
이단비꺼
십일조
오잉,
헌금할 돈이 모자라네.
다음에 해야겠당.
아, 떡볶이가 끌린다.
당장 먹어야겠다.

?
뭐야, 왜 저래? 관심받고 싶나…
진짜 짜증 나고 피곤한 스타일이야.
상대하지 말아야지.
눈치도 없나… 얜 뭔데 이렇게 귀찮게 굴어?
으으…교회에선 어떻게든 날 부려먹으려 해!
디자인
그림
피아노 반주
교회 봉사, 사역, 모두 다 하기 싫어.
교사
순장
임원
리더

성경…? 흠… 어려운데… 그냥 신앙서적만 읽어도 되지 않을까?
이 정도 죄면 가볍지.
뭐 어때, 큰일이야 나겠어?

근데…
이런 내 모습을 가지고 주님 앞에 갈 수 있을까?

평생 이대로 살다간 하나님도 날 포기하고 말 거야…
…

에이, 아냐. 난 이미 글렀어,
그냥 내 마음대로 살아야징.
뒹굴 뒹굴
게으름 게으름
밍구적 밍기적

지금 이렇게 더러운데
내가 다시 주님 앞에
서도 되는 걸까?

주님, 난
이만큼이나 못났어요.

주님께 기도드리는 것도
죄송해서 못 하겠어요.

내가 다시 열심히
주님을 사랑하면서
살 수 있을까요?

내가 널 얼마나
사랑하는지를 알면
나 뿐만 아니라
내가 지은 모든 것들까지도
온전하게 사랑할 수 있을거야.

내가 널 얼마나
사랑하는지 알려줄게!

!
일반쓰

나는 네가
생각하는 것 이상으로
더 너를 사랑한단다!

프롤로그

PART 1 내 사랑은 변치 않는단다

PART 2 널 위해 지금도 일하고 있고

PART 3 늘 너의 이야기를 듣고 있단다

PART 4 지금까지 그랬듯, 앞으로도 늘 함께!

PART 1

내 사랑은 변치 않는단다

내 사랑하는 자의 특권

내가 다니던 회사는 아침마다
전 직원이 Q.T를 한다

오늘의 본문은 갈라디아서,
자녀의 특권에 대한 이야기

본문 묵상을 하는 도중
이런 생각이 들었다.

'과연 내가 하나님 자녀로서의 특권을 잊어버린 채
아직도 종 노릇하게 하는 부분이 어떤 부분일까?'

곰곰이 생각해보니
내가 주님 앞으로 나아가는 것을
방해하는 건

'
내 삶 속에서
내가 얼마나
완벽하게 살아가고 있는가
'

였던 거 같다.

보통은 이런 식으로 속이는 말들이
내 마음을 가득 채우곤 하고,
그럴 때면 나는 늘 기도할 용기를 잃곤 한다.
그리고 항상 이런 흐름들이 반복되면서
내가 하나님의 자녀라는 것을 잊게 된다.

이 녀석이 하는 말은 믿어선 안 된다.

사실을 말하는 것 같지만

교묘하게 거짓말을 하는 존재거든.

속지 않기 위해 늘 기억해야 한다.
우리가 하나님과 교제할 수 있는 것은
내 열심이 이루는 게 아니라
오직 예수님의 십자가가 이루는 일이라는 걸!

그리고 그것이
하나님 자녀로서의 특권이라는 걸!

그의 십자가의 피로 화평을 이루사

만물 곧 땅에 있는 것들이나 하늘에 있는 것들이

그로 말미암아 자기와 화목하게 되기를 기뻐하심이라

골로새서 1장 20절

내가 너에게 바라는 것

난 너에게
완벽을 바라지 않아.
그저 네가 나를
찾아주기만을 바랄 뿐이야.
너와 마음을 나누면서
지내고 싶구나!

뜨거운 주님의 시선

나는 늘 다른 곳만
바라보며 살고 있지만

주님께선 늘 그러고 있는
나의 뒤통수만 보고 계시는구나

뒤통수가 따갑다면

뒤를 돌아보자!

네게 주려고 이만큼의 축복을 준비하고 기다리고 있었어.
네가 언제 나를 돌아볼까 계속해서 기다리고 있었단다.
조금이라도 내 마음을 생각해준다면
지금이라도 늦지 않았으니 당장 날 봐줘!
그럼 내가 널 어떤 눈으로 바라보고 있는지 알 수 있을 거야.

내가 널 얼마나 생각하냐면

나는
!
너의 모든 것을 지은 하나님이란다.

너의 겉도
내가 지었고
너의 속도
내가 지었어.

이번에는
이렇게
해봐야지.
네가 하려는 모든 행동도 알고 있고

말 해도 되겠지?
네가 무슨 말을 하려는지도 알고 있어.

나는 너의 생각도 모두 알고 있고

내가 왜 그렇게 말하고
그렇게 행동했지?
망했다…

잉잉

큰일났다

네 마음 안에 있는
불안과 두려움들이
네 상태와 상황을
제대로 못 보게 했구나
그런 마음에 사로잡히면
조급해질 수밖에
없단다.

네가 모르는
너의 마음속 깊은 곳까지도 내가 알아.

네가 살아가는 모든 순간의 모든 경우의 수를
내가 다 알고 다 계산하고 다 준비해놨단다.

괜찮아, 실수했다면
배우면 되니까.
내게 널 위한 모든 것들이
준비되어 있단다.

이 모든 것들이 너를 향한 나의 생각이야.

너를 향한 나의 생각은
바다의 모래알보다도
사막의 모래보다도
하늘의 별보다도 더 많아
셀 수가 없단다.

하나님이여 주의 생각이
내게 어찌 그리 보배로우신지요
그 수가 어찌 그리 많은지요
내가 세려고 할지라도
그 수가 모래보다 많도소이다
내가 깰 때에도 여전히
주와 함께 있나이다

시편 139편 17-18절

오뚝이

집에 있는 대왕 오뚝이를 가지고 놀다가
문득 든 생각이 있다.

넘어뜨리려 할 때마다 늘 다시 일어나고, 오히려
더 강하게 밀수록 더 힘차게 일어나는 그 모습이

마치 우리를 향한 주님의 사랑 같다고!

왜냐하면 우리 주님도

아무리 내가 밀어내고 외면하여도

계속해서 나에게 사랑의 말을 해 주시니까!

그리고 지금 이 순간에도
계속해서 너의 마음 문을
두드리고 있단다!
똑똑

한계가 없는 사랑

모두가 흔히 아는 돌아온 탕자 이야기

탕자가 다시 돌아올 수 있었던 이유는

그의 아버지가 탕자가 나가기 전부터 이후까지도
그 아들을 여전히 사랑하고 믿었기 때문이다.

이제는
내 맘대로 살겠어욧.
참견하지 마세용.

이 말은 즉,
탕자가 아무리 도망 가도,
아무리 나쁜 짓을 해도
아버지의 기다림의 영역 밖으로
나가지 않았다는 것이다.

그래도
다시 돌아올 널
믿는다, 아가.

이제는
내 맘대로 살겠어욧.
참견하지 마세용.

그리고 나와 하나님도 똑같다.
내가 아무리 양아치 신앙생활을 하고
주님이 원하시는 방향과
다른 곳으로 돌아다닌다 해도
하나님의 영역 밖으로 뛰쳐나가지 않는다.

그래도
다시 돌아올 널
믿는다, 아가.

나는 하나님의 사랑의 영역에서

절대로 벗어날 수가 없다.

죽음도 삶도 천사도 사탄도

현재의 상황이나 주변 사람들도

그 어느 것도 나를 향한

하나님의 사랑에서 나를 끊을 수 없고

나 스스로도 주님의 사랑 밖으로 나갈 수 없다.

왜냐하면 주님은 모든 시간과 모든 공간의

주인이시기 때문이다.

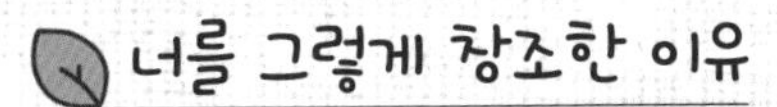

너를 그렇게 창조한 이유

음
하나님,
난 너무 성격이
안 좋은 거 같아요…
전 왜 이렇게 생각도 많고
소심하고 그럴까요??
너무 걱정
안 해도 된단다.
난 너를 이상한 애로
창조하지 않았어

너의 성향은 결코
잘못된 것이 아니야.
내가 애정을 담아
준 선물이란다.

다만 너의 성향에
죄가 물들면
이상한 성격이
될 수도 있겠지??

내가 왜 너를
그런 성향이 있는 사람으로
창조했는지 생각해 봐.

분명한 건 내가 너의 성품을 통해 이뤄낼 계획이 있다는 거란다.

선글라스를 벗자!

나는 선글라스를 하나 끼고 있다.

하나님으로부터 비춰져 나오는
'영광의 빛'이 너무 눈부셨다.
그리고 그게 불편했다.

그래서 선글라스를 꼈다.
내가 보고 싶은 만큼만
하나님을 보고 싶었기 때문에

이 선글라스를 쓰면 무지 편하다.
하나님의 '영광의 빛'은 가려지고
들고 계신 '사랑'만 보이거든.

이러면 내가 죄를 지을 때
죄책감이 덜해져서 참 편하다.

근데 내가 간과하고 있는 게 하나 있었다.
하나님은 나를 '있는 그대로' 사랑하신댔지
나의 '죄'를 사랑하신다곤 한 적 없다.

다만 내가 다시 돌아와 반성하고 변화되길
오래 참으시고 기다리실 뿐이었다.

오래 참으시는 것을

'영원히 참으시는 것'이라며

착각하게 하는 선글라스를

이제는 벗을 때이다.

너에게 주는 맞춤 선물

하나님께선 분명히 각 사람에게
각자의 달란트를 맡기셨다.

누군가에게는 많은 달란트를
누군가에게는 한 가지의 달란트를 맡기시고

각자가 그 달란트로 '하나님의 영광'과
'십자가 사랑'을 전하며 살기를 기대하신다.

간혹 우리는 다른 사람이 받은 것과
내가 받은 것을 비교하기도 한다.

하지만

라고 생각할 필요는 전혀 없다.
맡겨진 달란트의 가치나 양에 상관없이
하나님께서는 그저 우리의 '마음'을
기대하시기 때문이다.

하나님께서 달란트를 허락하신다는 건
마치 우리가 누군가에게 무언가를 선물하는 것과 같다.

우리가 선물을 고를 때
'필요할 거 같은 것'이나 '잘 사용할 거 같은 것'들을
우선순위로 생각하는 것처럼

하나님께서도
그저 우리에게 '선물'하신 거다.

내가 충분히 감당할 수 있고,
내가 주님을 더 사랑할 때 그 달란트를
그 누구보다도 잘 활용할 거 같으니까 주신 거다.

나 같아도 내가 준 선물을 잘 써주면
그게 그렇게 기쁘고 더 많은 것을 주고 싶은데
나를 죽기까지 사랑하시는 분은 오죽하실까?

주님께선 나에게 '대단하고 완벽한 삶'이 아닌
'나를 향한 사랑을 알고, 그 사랑에 반응하는 삶'을
기대하고 계실 뿐인 것 같다.

그리고 자기에게 이런 선물이 있는지도 모르는
사람들에게 내가 가진 달란트를 사용해서

너에게도 맞춤 선물이 있다는 걸
소문내는 것도 좋아하시겠지?

" 너에게 준 선물이 "
맘에 들었으면 좋겠다!
from. Your Lord.

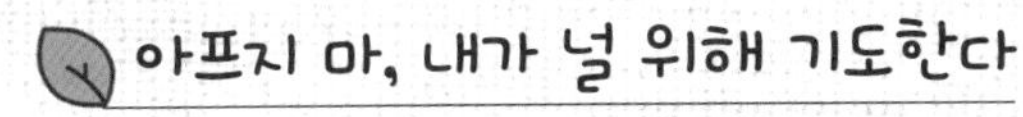
아프지 마, 내가 널 위해 기도한다

단비야
왜 이렇게
축 처져있니?
밍...

(경청)
잘 해보고 싶은데
생각과 다르게
일이 자꾸 꼬여서
어떻게 해야 할지
모르겠어요.
문제가 꼬이면 꼬일수록
이상한 선택만 하고...
내가 저지른 일이니 자책하게 되고...
근데 또 자책하게 되는 내 모습이
더 짜증나는 거 있죠??
전 도대체 왜 이럴까요?

...
훌쩍

아파하는 널 보니
내 마음도 너무 슬프구나.
힝흑
내가 널 위해
기도해줄게.

이와 같이 성령도 우리의 연약함을 도우시나니
우리는 마땅히 기도할 바를 알지 못하나
오직 성령이 말할 수 없는 탄식으로
우리를 위하여 친히 간구하시느니라
로마서 8장 26절

혹시 몰라서
이야기하는 건데,
너희 이거 꼭 기억해야 해.

일단, 너네도 모두 알고 있을 거야.
나는 너희 모두를 사랑한단다.
너희가 어떤 사람이든 상관없이.

맞아, 난 너희를 사랑해.
죄를 지어도 사랑하는 건
변함이 없지. 근데…

내가 사랑하는 것과 별개로
죄는 나와 함께할 수 없어.

조금 더 쉽게 이야기하자면…

어두움은 빛 앞에서 자동으로 사라져.
빛이 어둠보고 제발 가지 말라고 해도
빛이 비춰지면 어둠은 도망갈 수밖에 없단다.

나와 죄의 관계는 그런 거야.
서로 절대 공존할 수 없는 관계지.
여기까지 이해되니?

근데 너무 속상한 건
내 사랑을 오해하는 사람들이
너무나 많다는 거야.

사랑하시니까
이 정도 죄는 괜찮겠지.

나는 너희를 사랑하기 때문에
한 명이라도 더 함께하려고
십자가에 매달린 건데…

...
히히, 재밌당.

나는 너희를 너무 사랑하지만
너희의 죄를 못본 척하진 않아

오히려 내 앞에 섰을 때
너희의 죄가 그대로 드러나지.

하지만 나는 이미 너희의 죄를
용서하기로 마음먹고 이 땅에 왔단다.

너희가 내 앞에 서게 된다면
너희의 죄가 드러나게 되지만
그 죄에 대한 수치와 절망이 아닌
회복과 소망을 네게 줄 거야.
나 그러려고 십자가를 진 거야.

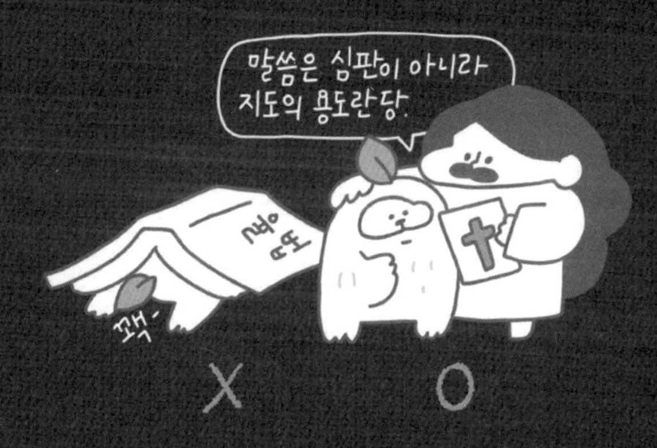
말씀은 심판이 아니라
지도의 용도란당.
율법
꽥
X
O

그리고 기억하렴, 너희가 너희 죄를 보고
수치심과 부끄러움과 절망감이 느껴진다는 건
그 죄를 아직도 내 앞에 갖고 오지 못했단 뜻이야.
죄인임을 인정하지 않으니까
네가 가진 죄가 부끄러운 거지.

아무튼 하고 싶은 말은
난 너희를 모두 사랑하지만
너희가 계속 죄를 꽉 쥐고 있으면
너희와 내가 가까워지기가 힘들다는 이야기야.

하지만 조금 부끄러운 거 참고 나에게 오면
내가 그 죄를 씻어주니 걱정하지 않아도 된다는 거?

난 너희의 죄까지 사랑하기 때문에
인내하고 기다리는 게 아니라,
언젠가 너희가 돌이킬 것을 기대하는 마음으로
인내하고 기다리는 거란다!

From. 너희를 지금도 사랑하는 예수님이

그런즉 누구든지 그리스도 안에 있으면
새로운 피조물이라 이전 것은 지나갔으니
보라 새 것이 되었도다

고린도후서 5장 17절

주님, 사랑이 뭐예요? 알려주세요!

자존감이 낮으니까
사랑받는 줄도 모르고 지냈고

상대방이 날 아껴주는 걸 봐도
그 사랑을 부담스러워하고
의심하기 바빴던 것 같아요.

받는 줄도 모르다 보니
주는 것도 못 하고 있더라구요.

저들도 내 사랑이
부담스러울 거야.
나대지 말자

주고 싶어서 막 주다가도
위와 같은 생각이 들면
상처받고 싶지 않다는 마음이 커져버려요.

맞아요. 난 아주
이기적이에요.

날 사랑해주는 사람들을
외면하고 상처줬으면서
나는 상처받기 싫다는 이유로
다른 이들을 사랑하는 거에 인색했어요.

주님, 제 안의 이기심과
쓰잘데기 없는 자존심들이
사랑을 받지도, 주지도 못하게 합니다.
사랑이신 주님께 배우고 싶어요.
도와주세요 주님…

단비야, 늘 기억하렴,
사랑 안에 두려움이 없고
온전한 사랑이 두려움을 내쫓는다는 것을!

두려움을 극복하려면
네가 내 안에 거하고
나도 네 안에 거해야 해.
그것이 사랑 안에서
온전케 되는 방법이지.

네가 내 안에 거하면서
내 사랑과 은혜를 누리고,

내가 네 안에 거하면서
너가 나의 사랑을 닮아가도록
늘 동행하는 관계!
그런 관계를 유지하려면
〈그리스도 예수〉인 나를
끊임없이 묵상해야 한단다.

그렇게 네가 나를
알아가는 시간이 쌓일수록
너는 자연스럽게
사랑의 열매를 맺게 될 거야.

내가 널 얼마나 사랑하고,
어떻게 사랑하고 있는지를
보고 배우렴!

너와 함께하고 싶어서

너와 함께 하고 싶어서 이 세상을 지었어.
내가 만들었지만 정말이지 너무 맘에 들더라.
하루 빨리 너와 함께 하고 싶었어.

너와 함께한다는 건 생각보다도 더 즐거웠어.
늘 행복했고 내가 행복한 만큼
너도 늘 행복하길 바랐어. 그런데…

앗! 안 돼!
안녕, 이쁜이 오빠랑 놀까?
?
이런 것들이 훨씬 재밌어, 자극적이고 늘 신선하고 짜릿하지
머엉…
아니야!! 돌아와!!
술도 좀 할 줄 알아야지, 성경에도 나와있잖아. 취하지만 않으면 돼.
무조건 돈이 최고야 돈만 있으면 다 돼.
맞아
야, 쟤 진짜 맘에 안 든다. 저런 애들은 좀 망해도 싸. 정말 왜 저러고 살지.

... 내 말 들리니?
절대 아냐, 속지마!

이야.. 너 대단하다.
내가 하란다고 다 해?
너 진짜 쓰레기네,
내 탓 하지마.
다 네 선택이야.

구원? 행복한 삶?
네겐 다 사치야, 따라해.
'난 구원 받을 자격 없어.'

난 구원 받을 자격 없어

... 나는 어쩌다
이렇게 된 거지..?

오~
이것 봐라?

하나님...

하나님은
어디 계시지
...

다시 그 때로
돌아가고 싶어...
아니, 돌아갈 거야..!

포기해, 넌 이미 더러울 대로 더럽거든, 하나님이 널 피할지도?
너에게 구원은 없어, 네가 한 짓들을 생각해 봐.
하나님을 왜 찾아? 너 이때까지 하나님 필요 없다는 듯 살아왔잖아.
너 진짜 곧 때린다. ㅋㅋㅋㅋㅋ
죄의 삯은 사망이라고 하잖아. 넌 죽을 수밖에 없다니까??

내가 얘 대신
죽을테니까
이제 그만 봐
!

쳇!

으앙
주님...
죄송해요..!

너와 영원히 행복하게 지낼 수 없다는 것이
나의 죽음보다 더 아프고 슬픈 일이기 때문에
널 위해 네 죄의 값을 대신 감당했어.
그리고 내가 그 죽음을 이기고 다시 살아났으니
너가 내 십자가 사랑과 부활의 승리를 기억한다면
저들이 다시는 널 속이는 말로 죽게 할 수 없단다.

from. JESUS

나의 사랑하는 자가
내게 말하여 이르기를
나의 사랑, 내 어여쁜 자야
일어나서 함께 가자

아가서 2장 10절

PART 2

널 위해 지금도 일하고 있고

우리의 이야기는 주님에게!

그림은 그림을 그리는 사람에게

개발은 개발자에게

물건 배송은 배송기사에게

회계 관리는 회계사에게

요리는 셰프에게

아픈 곳 치료는 의사에게

그럼 우리 삶은
누구에게?

하루하루 자라게 하시는 은혜

최근 고린도전서를 묵상하다가 문득 든 생각

세상에 '완벽한 사역자'라는 건
존재하지 않는다는 것이었다.

사실 나는 내 스스로를

'교회 유목민'이라고 할 정도로…

교회에 적응을 잘하지 못한다.

그리고 그 이유는 참 교만하게도,

'내 기준에 맞는 교역자가 없어서'라는

못된 마음 때문이었다.

고린도전서를 보면 바울이 이렇게 말한다.

여러분 가운데 어떤 사람은 '나는 바울파' '나는 아볼로파' 하면서 파를 나누려 하는데, 그건 육에 속한 사람들의 행동입니다.
바울

아볼로가 무엇이고 바울이 뭐야? 우리는 그저 주님께서 맡겨주신 사역자들일 뿐입니다.

나는 씨를 심었고,
아볼로는 물을 댔을 뿐이에요.
우리가 여러분들을 자라게 하는게 아니라
주님께서 여러분을 자라게 하시는 것입니다.

하나님께서는 나라는 사람을 자라나게 하시려고
많은 관계와 상황들을 허락하신다.
그리고 그 모든 관계와 상황들은
양분으로 오기만 하는 것이 아니라
어떨 때는 폭풍으로, 어떨 때는 가뭄으로,
어떨 때는 해충으로 오기도 한다.

그러니 우리는 그저 양분을 얻었을 땐 감사하고,
해충이나 가뭄 등이 찾아왔을 때
분노하거나 두려워할 필요가 없다.

그것들을 이겨낼 힘을 기르기 위해 훈련시키시거나
극복하도록 돕는 손길들을 분명히 보내주실 테니까.

그런즉 심는 이나 물 주는 이는 아무것도 아니로되

오직 자라게 하시는 이는 하나님뿐이니라

고린도전서 3장 7절

간섭

문득, 내 하루의 모든 순간에
주님의 간섭이 들어가지 않은 데가 없다는 게
큰 은혜이고 감사라는 사실이 느껴졌다.

선택은 내 몫이지만
내가 올바른 선택을 할 수 있도록
힌트를 주시는 분은 하나님이시다.

주님 앞으로도 많은 힌트 부탁드려요. (찡끗)

마음의 방향

가끔 그럴 때가 있다.
내 마음이 너무 시끄러워서
내가 내 마음조차도 알 수 없을 때?

그리고 그렇게 내 마음이 시끄럽다 보면
마치 잘 가던 길이 사라진 것처럼
갈 길을 알지 못해 방황한다.

아…시끄러워,
어떻게 해야해?

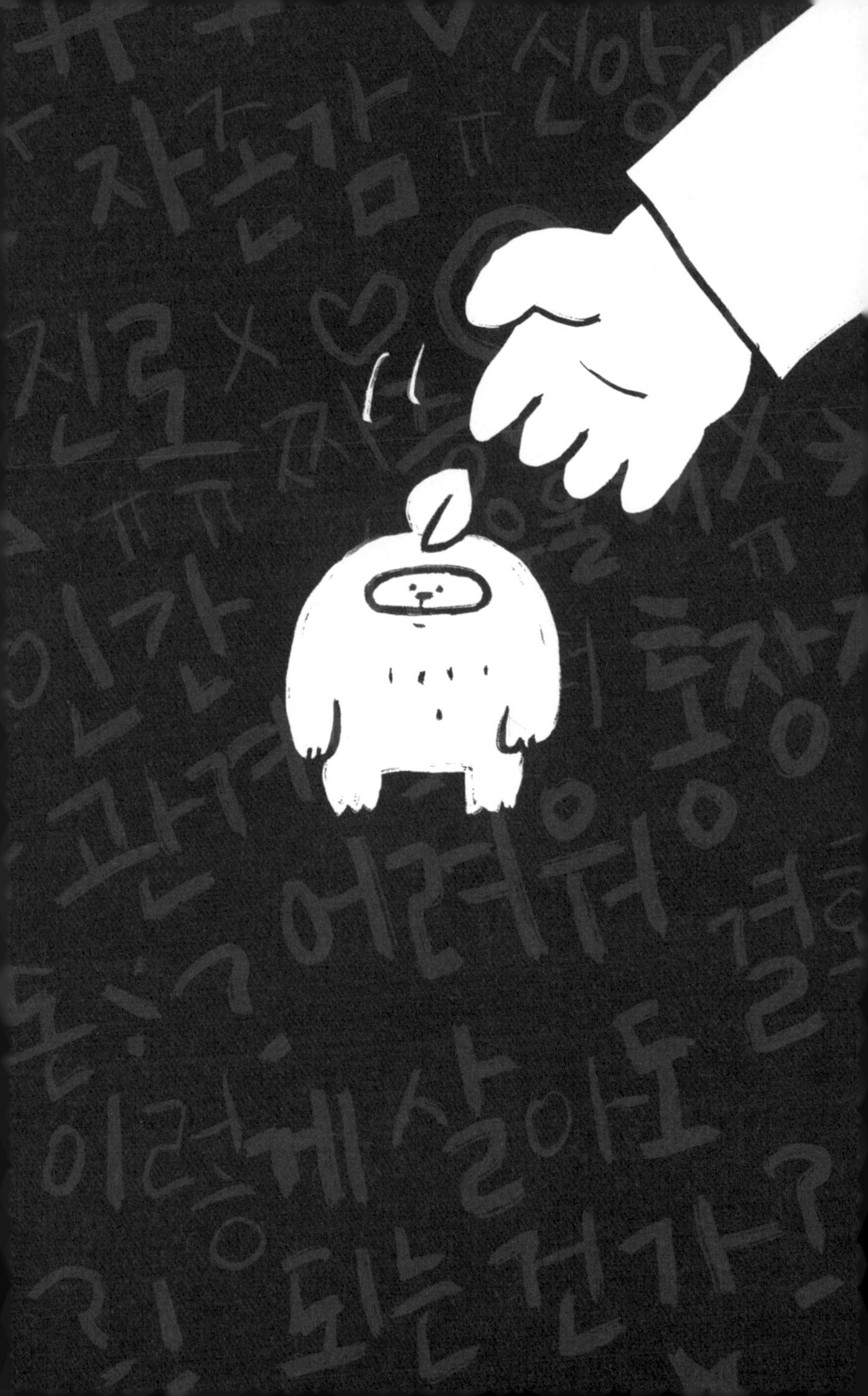

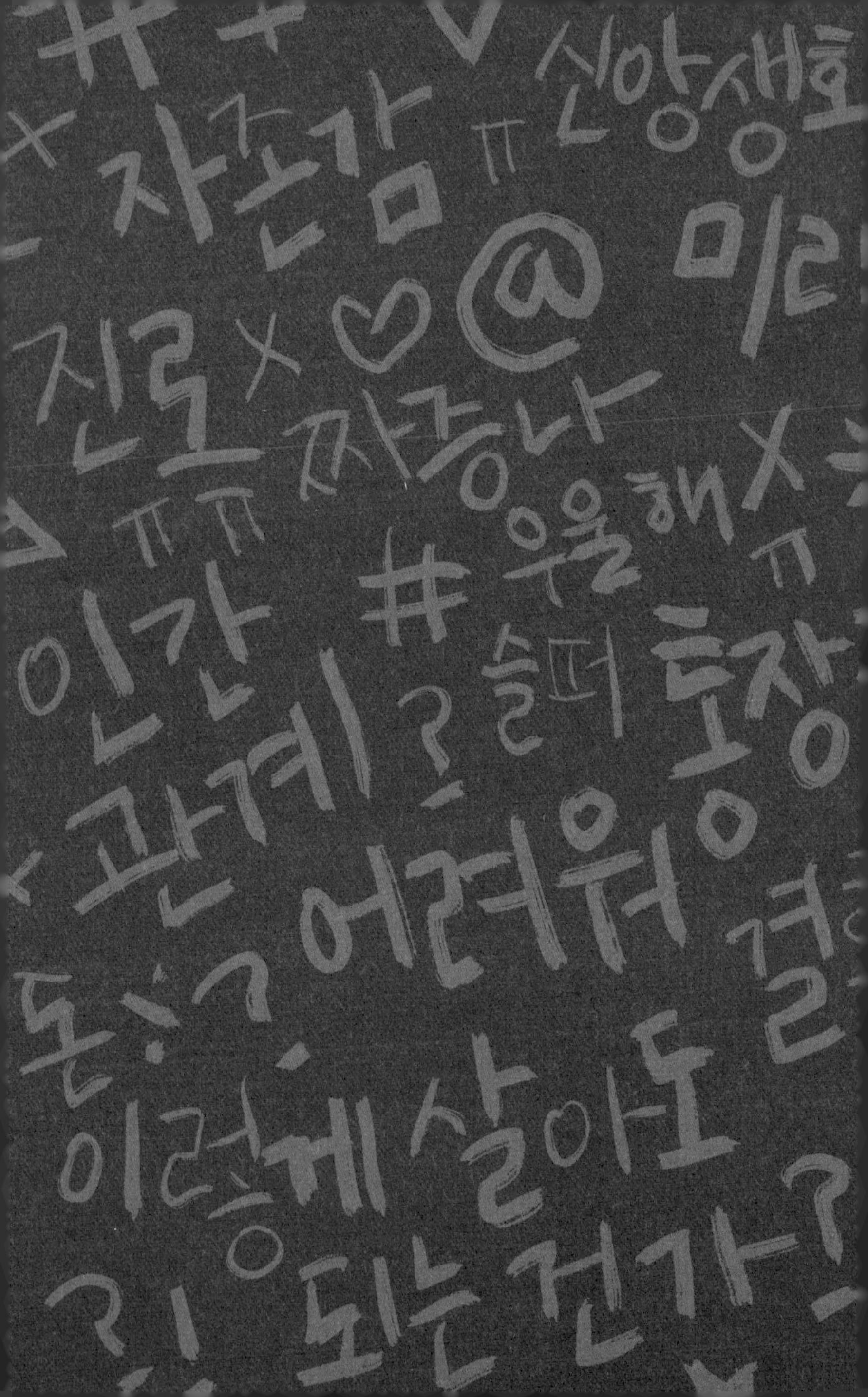
자존감
미래
진로
짜증나
우울해
인간관계?
슬퍼
어려워
돈?
이렇게 살아도 되는 건가?

네 마음이 시끄러울 때엔
네 마음의 지향점이 다른 곳이 아닌
나에게로 향하도록 해야 한단다.

마음이 시끄러운 것에서 벗어나고 싶다는 건
네 영혼이 나를 목말라하고 있다는 걸
알려주는 일종의 사인이거든

그럴 때마다 간절히 날 구하렴!
목마름이 있는 자야말로
나에게로 오는 길을 잃지 않는 자란다!

심령이 가난한 자는 복이 있나니
천국이 그들의 것임이요

마태복음 5장 3절

선택의 기준

내가 어떤 일을 선택하든

누구를 만나고 어떤 교제와 나눔을 하든

어떤 일을 하기로 하고 움직이든

그 선택의 기준이
'주님의 은혜와 사랑'이 된다면
그게 바로 하나님이 기뻐하시는
그리스도인의 모습이 됩니다.

주님께서 예비하신 길, 예비하신 만남은
맞춰갈 것도 없고 상처도 없고 참을 것도 없는
육신의 편함이 보장된 것이 아니라

힘들긴 했지만 이번 기회는 정말
주님이 주신 최고의 길이었어!

마음이 상하고 몸이 상하더라도
하나님의 나라가 세워지는 데 필요한
사역과 만남이라면 그것이야말로
하나님이 예비하신 일과 만남이랍니다.

"주님, 제 선택의 기준이
나의 유익이 아니라
주님께서 원하시는
나의 모습이 되길 원합니다."

하나님이 날 키우시는 방법

아기가 우유를 마시다가
우유를 쏟아버렸어.

그러면 아이의 부모는 아이에게
우유를 쏟으면 안 된다고 알려주겠지?
하지만 아기는 너무 어려서 쏟으면 안 된다는 말도
처음에는 무슨 소린지 모를 거야.

아마도 아기는

라는 말을 몇십 번은 들어야
아기에게는 '이게 안 되는 거구나' 하는
개념이 겨우 어렴풋이 생기게 될 걸?

그렇긴 하지만 그 개념을 안다고
실수를 안 하게 되는 건 아니란다.

아기는 이제 무언가를 쏟으면
안 된다는 걸 알아. 하지만

손의 힘이 약해서 컵을 놓치거나

실수로 넘어뜨려서 쏟거나
다양하게 또 몇 번을 쏟을 거야.
이게 잘못이라는 걸 아는데도
몸이 따라주지 않는 거지.

근데 이제는 이게 잘못인 걸 아니까
또 실수했을 때 아기가 어떻게 하는지 알아?

자기가 할 수 있는 최선의 방법으로
부모님에게 미안함을 표현해.

그리고 부모는 놀란 아이를 진정시키며
해결방법을 알려주지.

차근차근 아이의 때를 기다리고
눈높이에 맞춰 가르치는 것,
이것이 자녀를 향한 부모의 기다림이란다.
그리고 내 자녀들을 보는 나의 마음은
그것보다도 훨씬 크다는 걸 기억해!

허락하신 은혜

하나님, 난
무지 약해요.
실수를 하지 않는 날이 없고
완벽하지도 않고 무지 게으르죠.

근데, 이런 내가 요즘 좀
과분하게 사랑받으며 사는 것 같아서
너무나도 불안해요.
내 약함이 모든 것들을 망칠까 봐
늘 걱정 속에 살고 있어요.

주님, 그래서 결론은…
제가 하고 싶은 말은요…
과분하다고 생각될 만큼
귀한 기회와 관계들을
제게 허락해주셔서 감사해요!

제게 기회와 관계를
허락하셨다는 건
주님께서 함께해주실
일이기 때문이라고 생각해요!

오늘 허락하신 기회와 관계에 감사합니다.
두려움이 아닌 감사로 살아갈 수 있게
제 맘에 평안을 주세요.
예수님의 이름으로 기도드립니다. 아멘

주님의 혹독한 훈련

(아 이 장면은 너무 감정이입된다…)

그렇게 혹독한 시간을 보낸 후…

슬림
핸섬
멀끔
음, 훌륭하구나, 다시는
죄의 살을 찌우지 말거라.

주님께서 혹독하게 나를 굴리신다는 것은
단순한 징계가 아니라
나를 향한 그분의 회복의 의지입니다.

기다려보겠니

-다음 이야기와도 이어집니당-

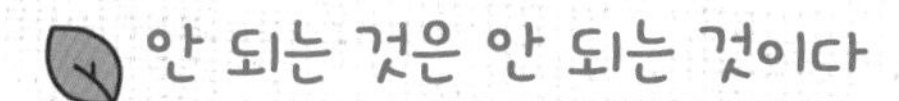
안 되는 것은 안 되는 것이다

하나님, 나이거 해주세요
소원
ㄴㄴ 절대 안 돼

생떼
생떼
왜여, 너무해!
하나님 미워요. 흥!!!!

저거 저거
언제 철들려나…
잉잉
시러요,
내 맘대로
할 거야!
어휴, 그래. 네 맘대로 해라

(정말 정말 많은 시간이 흐른후)

깨달음의 눈빛
주님이 아니라고 강하게 반복하시는 건
그럴만한 이유가 있기 때문이라는 걸
깨닫게 되었습니다.

하나님 입다고 한 거
진심 아닌 거 아시죠?
사랑해용 히히
이눔자식, 다시는
그러지 말아라.

〈기다려보겠니〉와 이번 〈안 되는 것은 안 되는 것이다〉는
제가 좋아하는 분이 생겨 기도해보던 시기에
깨달은 부분이었습니당.

열심히 기도해봤는데 아닌거같다는 마음을
굉장히 강하게 주셨어용.

그때 저는 콩깍지가 넘 두껍게 씌어서
괜한 두려움이라고 자기합리화를 했습니당…

제가 한번에 못 알아들으니 설교 말씀으로도,
주변 지인들을 통해서도 자주 말씀하셨죠.
다행히 지나가는 길 고양이를 통해서
말씀하실 정도까진 아니었나봅니다.

*(발람이 하나님의 말을 듣지 않고 모압 왕 발락에게 가려 하자 타고 있던 나귀를 통해서까지 말씀하신 이야기. 자세한 건 민수기 22장을 참조하세요! -성경홍보-)

그리고 하나님이 이렇게 강하게
뜯어말리셨던 이유는…

그 분이 이미 가정이 있는 분이었기 때문이었습니다^^!
(전 그것도 모르고…)

역시… 뜯어말리시는 데에는 이유가 있었어요

-비하인드 끝-

나의 생각과 너의 생각은 다르단다

우리는 살면서 나름대로
여러가지 계획을 가지고
무언가를 열심히 한다.

그 계획이 순조롭게 진행될 때도 있지만
무참히 깨지거나 뒤엎어지거나
결과나 과정 중에 내가 담은 의미들이
무시당하게 될 때도 있다.

누군가는 나약하다고 할지 몰라도
나는 피드백을 받을 때마다
마치 내 존재가 부정당한것처럼
많이 힘들어하는 편이다.

하지만 계획과 결과물이 곧
나 자체인 것처럼 살아가던 나에게 주님은
새로운 관점으로 살아가는 방법을 알려주셨다.

단비야,
너의 생각과 나의 생각이
다르다는 걸 기억하렴!

내가 선택하고 계획한 길이
하나님의 계획과 다르기에
피드백을 주셔서 돌이키게 하심으로
주님은 내가 그분의 길로
잘 걸어갈 수 있도록 인도하시고,

피드백을 받았을 때 화가 나고 슬플 수 있어.
네 마음을 무시하고 몰라주는 건 절대 아냐.
하지만 그 부정적인 감정에만 머물러 있다면
그것 또한 불순종이 될 수 있단다.

부정적인 피드백에 늘 슬퍼하고 분노하는 것이
사실은 내 뜻만이 옳다고 생각하는 교만임을
깨닫게 하시며, 겸손과 순종의 관점으로
피드백을 받아들이는 법을 알려주셨다.

만약, 지금 나의 계획과 결과물에 대해
부정적인 반응을 받고 좌절하고 있다면

하나님께서는 나의 계획과 결과에 상관 없이
늘 나를 사랑으로 바라보시는 것을 새겨 기억하고

PLAN
J
이렇게 해 보는 것이 오히려
네게 더 유익이란다!

혹시나 하나님께서
내가 생각하는 계획이 아닌
다른 계획을 준비하고 계신 것은 아닌지
여쭤보는 시간을 가져보는 건 어떨까?

이는 내 생각이 너희의 생각과 다르며
내 길은 너희의 길과 다름이니라
여호와의 말씀이니라

이사야서 55장 8절

제대로 된 항해를 위해서

난 좀 더
재밌는 사람이고
싶어요
주어진 일도
야무지게 잘 하는
사람이고 싶고
배우는 것에
열정을
불태우고 싶고
자기관리도 열심히 해서
건강한 몸을 갖고 싶고

!!
돈도 절제해서 잘 쓰고
잘 모으고 싶어요.
마음이
따뜻한 사람~
사람들한테
'능력!' 있는 사람으로
인정받고 싶어.
쉽게 상처받지 않고
인간관계에 쿨한
사람이고 싶기도 해.

음…그리고 이때까지
담은 것들에 대해
연연하고 싶지도 않고
얘네를 다 잃었을 때에도
미련을 가지지 않았으면 좋겠어요.
그건 너무 모순 아니
이제 출발해요, 주님!
?
기다려

넹!
이것들을 다
배에 싣고 가려고??

!!?
이 짐들을 다 실으면 이배에
너와 나의 자리가 없는 걸?

그리고 이렇게 짐이 많으면…
분명 이 배는 가라앉고 말 거야.

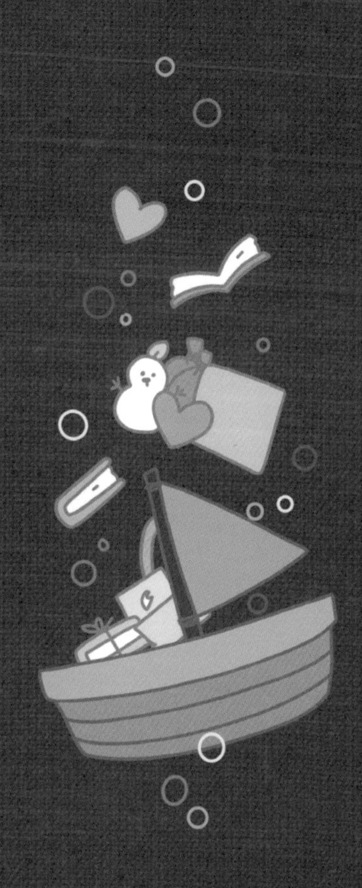

단비야, 세상이라는 바다를 항해하려면
너무 힘을 세게 주면 안 된단다.
짐이 많으면 많을수록 너는 지치게 될 거야.

"내 배가 작고 볼품없어 보여도,
주님이 계시다면 그것으로 이미
내 배는 완벽한 배예요."

내 모든 일의 주인

나에게 아무리 좋은 아이디어가 있어도
멋진 계획을 가지고
척척 일을 처리해간다 해도

내 도움은
언제쯤 구하려나…

역시 난 천재야.
아이디어 뱅크!

주님이 주인 되시지 않는
내 모든 계획과 아이디어는
아무런 소용이 없습니다.

너희 행사를 여호와께 맡기라
그리하면 네가 경영하는 것이 이루어지리라
잠언 16장 3절

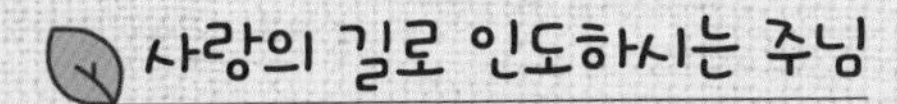

사랑의 길로 인도하시는 주님

내 속에 사랑이 없다는 걸
느낄 때가 종종 있다.

내가 사랑이 없는 사람이란 걸
어떨 때 가장 많이 느끼냐면….

1. 사람들의 반응에만 집착한다

내가 맨날
부정적인 이야기만 하니까
날 떠났나 봐…
생각이 다르면
그럴 수 있지…
이 사람이 날
언팔했네,
나도 언팔해야지…
이 사람은 내 꺼에만
좋아요를 안 누르네…
내가 싫은가…
그럼 나도 이제
이 사람
신경 꺼야지…

(쿨하지 못하고 사고방식이 굉장히 극단적이고 유치하다.)

2. 굉장히 계산적으로 애정을 준다

내가
이만큼 해주면
그 사람도 날
좋아해주겠지?
내 호의가
상대방에게는
아무것도
아니었나 보다…
때려칠래…

(받은 만큼 주고, 주는 만큼 받기 원하는 타입.

그래서 받는 것도 잘 못하지만 내게서 받는 사람들에게도 부담을 주게 된다.)

3. 다른 이의 좋은 일을 축하하고 축복하기보단 비교하며 나 자신을 깎아먹거나 질투한다

(요즘은 타인이 아니라 과거의 나와 비교하려고 노력하는 중입니당.)

4. 사랑과 관심 주기는 귀찮아하면서 많은 사랑을 받고 싶어 한다

안 읽은 메시지 78개
누군가가 메시지를 보냄
친구 요청이 있습니다
새 메시지 도착
또 안 읽은 알람 백만개

으으 반응하기 귀찮아…
하지만 사랑은 계속 받고 싶어…

(제일 악질적인 부분이라고 생각한다. *내로남불)

*'내가 하면 로맨스 남이 하면 불륜'의 준말, 난 되고 넌 안 된다는 태도

아무튼 뭐.. 사실 더 적을 수는 있겠지만…
결국 나는 '인정'받기 위해서 '사랑'을 흉내냈을 뿐
사랑을 하는 사람은 아니라는 걸 알게 되었다.
그리고 이 상태는 내 주변사람들한테는 물론이고
나 자신에게 제일 독이 되는 상태이다.

이런 내 스스로에게 너무 지쳐서 기도했다.
더 이상은 이 문제로 피곤하고 싶지 않았으니까.

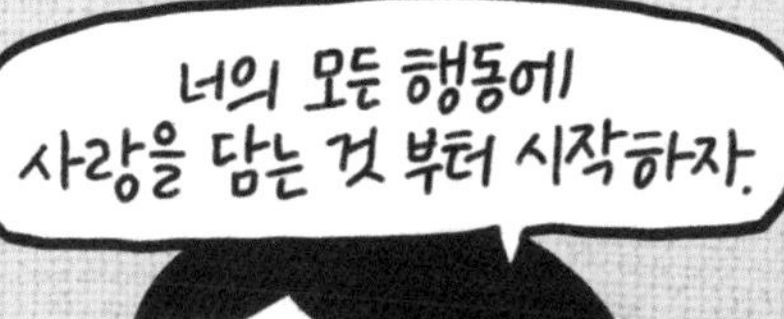

기도의 의도조차 선하지 않았는데…
어쨌든 주님께선 내 기도를 들으시고
기다렸다는 듯 훈련시키기 시작하셨다.

작은 행동이어도 그 안에 사랑을 담는 것이
더 중요하다는 걸 계속 알려주셨다.

아마 나는 주님처럼

완벽한 사랑을 실천할 순 없을 거다.

하지만 가르쳐주시는 대로

따라하려고 노력하다 보면

인정받기 위해 '사랑하는 척'하는 게 아니라

예수님을 닮아 '사랑하는 사람'이 될 수 있겠지.

널 위해 지금도 일하고 있어

너의 일상을 너무
무서워하지 마.
난 너의 행복을 위해
지금도 일하고 있단다.

PART 3

늘 너의 이야기를 듣고 있었단다

 하나님의 모자이크

주님, 오늘 또
새로운 하루를 주셔서
감사합니당
힘 세고
강한 아침!

으어 진빠진다…
주님, 오늘은 좀 많이 힘드네요…
빨리 가서 쉬고 싶어요…

와, 오늘은 날씨가
와방 좋으네용
신남×100
신남×100

흠…
하나님 나 이 일이
하고 싶은데…
하나님은 어떻게 생각하세요?
잘 할 수
있을까요?
고민이
됩니당

내 욕심 때문에
그 사람이 상처받게 됐어요..
그 사람한테 미안한 건 물론이고
주님께도 너무 죄송해요…
도와주세요…

이번에도 말씀으로
깨닫게 해 주셔서 감사해요!

주님, 좋은 사람들을
만나게 해 주셔서 감사해요!
룰루
랄라

주님, 저도 다른 사람들도…
주님이 없으면 행복할 수 없어요…
우린 모두
주님이 필요해요…

주님은 우리의 기도를
한 조각 한 조각 모아서
큰 그림을 그리고 계세요.
지금 보이지 않는다고 해도 괜찮아요!
분명 세상에서 가장 멋진 그림을
우리에게 보여주실 거예요.

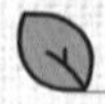

네가 내 안에, 내가 네 안에

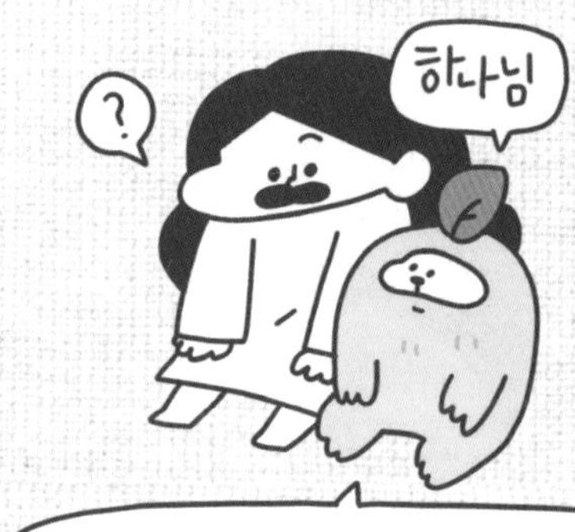
?
하나님
사회를 살아가기에 저는
아직도 너무너무 어린애 같기만 해요.

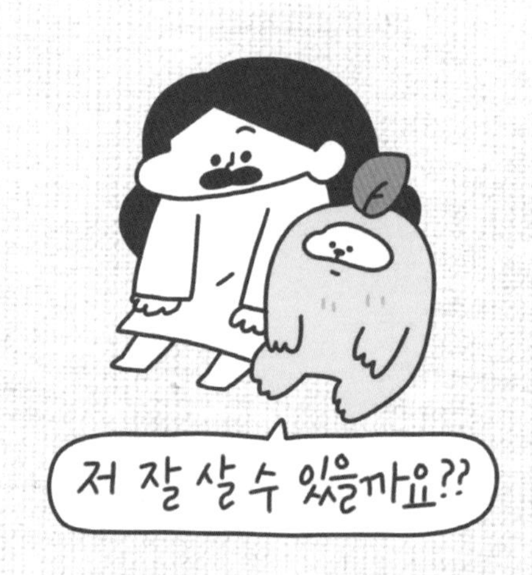
저 잘 살 수 있을까요??

나는 학벌도 없고, 능력도 없어서
고정적인 수입도 없고 모아둔 돈도 없어요.
부끄럽지만 벌었던 돈들도 그때 그때 다 쓰고…

감사하게도 일 할 기회가 오더라도
내 작품에 자신이 없어 시작도 못하고…
또 사람이 무서우니 기회에서 도망치기 바빠요.

그리고 외주 일이 들어올 때 마다
딜레마에 빠지기도 해요.
내 생계를 생각해 제안하는 페이인데
또 그게 너무 계산적이지는 않은가 하고 고민하고…

주님, 나는 예나 지금이나
주님의 사랑을 그리며 살아가고 싶어요.
그러기 위해 그림을 더 배우고 싶고
이 일에 집중하고 싶은데

현실적으로 그림만 그리고서는
생계를 유지하기가 많이 어렵죠…

근데요 주님, 제가 하고 싶은 일들이 정말정말 많아요.
근데 그 일들이 당장의 수익을 책임져주지도 않고
또 그 일이 완성되더라도 수익이 보장되지도 않아요.

아르바이트라도 하면서 해야 하나 싶은데
그러기엔 시간이 또 발목을 잡아요.

하고 싶은 일들이 많고…
이 일들을 하면 주님을
더 잘 알 수 있을 것 같은데…
현실적인 문제들 때문에 걱정이 너무 많아요.

하나님, 어떻게 해야 할까요?

그 비전이 변질되지 않도록
언제나 나를 찾고 구하렴,
누구도 네 꿈을 뺏지 못하게 말이야.

"두려움과 걱정들에게
내가 준 꿈을 빼앗기지 마.
내가 언제나 너의 이야기를 듣고
네 걱정이 무색할만큼 지금도
일하고 있단다."

너희가 내 안에 거하고 내 말이 너희 안에 거하면
무엇이든지 원하는대로 구하라 그리하면 이루리라
요한복음 15장 7절

이미 알고 있는데 그래도 직접 듣고 싶어

주님은 내 필요를 다 아신다며?
근데 왜 바로 주시지 않고
꼭 내가 기도해야만 주신대?

왜긴
!
네가 직접 말했으면 좋겠기 때문이지.

난 네가 원하는 것도 다 알고 있고
네가 모르는 너의 필요도 다 알고 있단다.

내가 너의 필요를 채워줄 수 있으니
너는 나의 필요를 채워주겠니?

내가 가장 원하는 건
너의 이야기란다.

서툴고 보잘것없는 것이라도

설거지를 하다가 유리컵을 하나 발견했습니다.
전 남자친구가 사주었던 맥주컵이네요.
(저는 술을 하지 않습니당. 오해하지 말아주세요)

당시 아르바이트를 하던 편의점에서
맥주 4캔을 사면 맥주컵을 주던 행사를 했었는데
"이 컵 가지고 싶댔지?" "오잉또잉!"
그때 아예 맥주까지 1세트를 사서 저에게 선물로 줬었지요.

비록 이 맥주세트 선물이
술을 하지 않는 저에게 완벽한 선물은 아니었지만
저는 최고의 선물을 받은 것처럼 기뻤습니다.

사랑의 표현이 어찌되었든
'그 사람이 날 사랑해서 준 선물'
그것도 내가 사랑하는 사람이
나를 사랑해서 준 선물이잖아요?

그 사실이 선물의 가치와 상관 없이
저를 기쁘고 행복하게 해주었어요.

근데 이런 감동을 우리 하나님이
더 크게 가지신다는 거 아시나요?

하나님은 우리가 더 많은 일,
더 좋은 것을 드리는 것 보다

서툴고 보잘 것 없는 것이라도,
하나님이 우리를 너무 사랑하시기에
우리의 작은 마음도 기뻐하세요.

그러니까, 음 만약 지금
내가 하나님께 너무 해드리는 것이 없는 것 같아서
오히려 하나님을 피하고 계시다면

그 상한 마음을 가진 모습조차도
안타까운 마음으로 바라보시며
돌아오기를 애타게 기다리는 분이
우리 주님이시라는 것을 기억해주세요.

지금 주님은 "주님" 한 마디를 기다리고 계실 수도…

네가 말하지 못할 때에도

네가 내게 말하지 못하는 때에도
내가 너의 침묵 뒤에 숨겨진
상한 마음의 소리들을 모두 듣고 있단다.

From. Your Lord

분명 기도가 필요한 상태이고
기도해야 할 것들이 너무 많은데 기도하지 못하고
계속 혼자서 하나님 앞에 침묵만 하고 있을 때
들려주신 하나님의 마음.
화려하게 말하지 못해도 괜찮고
아예 말하지 못해도 괜찮으니
그냥 그 마음 가지고 찾아와 달라고,
상한 마음 가지고 오는 것 자체가
나하고 대화할 의지가 있다는 것이니
그 마음의 소리도 예배로 받으시겠다는 주님.

네게는 의인이 되고자 하는 소망이 있단다

내가 유독 힘들어하는 부분 '인간관계'
그리고 세상은 그런 나를 보며

너와 안 맞는 사람,
너에게 관심주지 않는 사람은
그냥 무시해버리면
되는 거 아니야?

라고 말하곤 한다.
하지만 그것이 말처럼 쉽게 되는가?
잘 되지도 않을 뿐더러 크리스천이라면

하는 생각도 들 것이다.
예수님이라면 그러지 않으실 것 같거든.

그래서 여쭤봤다.

주님, 저는 왜 날 좋아해주는 사람들에게 신경쓰기도 모지란 시간에 굳이 맞지도 않는 사람들을 더 신경 쓰면서 살게 되는 걸까요?
...
그 사람들이 날 무시하는 게 사실 내게 어떤 치명적인 단점이 있어서 그러는 걸까요?
그 사람은 왜 나한테만 그래요? 나도 이제 그 사람이 미워질라 그래요.
하... 근데 또 미워하려는 내가 싫어요.
이런 고민을 한다는 거 자체가 너무 스트레스예요

...
힝... 몰라... 그냥 잘래요 머리가 너무 복잡해요.
...

단비야, 너의 지금 그 상황에서
너 스스로를 미워하지도 않고,
상대방도 미워하지 않는 방법이 있어.

그건 바로 인간관계의 짐을 내려놓고
나에게 집중하는 시간을 갖는 거란다.

네가 그 사람들 미워하기를 싫어하기 때문에
이런 고민을 한다는 걸 내가 알아.
네게는 그렇지 않은 듯 해도
의인이 되고자 하는
소망이 있단다.

나는 네 마음의 모든 소리를 듣고 있어.

더 이상 그 문제가 널 사로잡지 못하게끔
내 옆에서 사랑을 보고 느끼고 배우는 시간을 갖자.

〈연약해서 할 수 없는 너〉의 눈으로
문제를 바라보는 것과
〈사랑하게 만드는 나〉의 눈으로
문제를 바라보는 건 다르니까!

널 〈사랑할 수 있는 아이〉로 변화시켜줄게.
난 〈사랑하게 만드는 하나님〉이잖아.

사랑할 수 있는 아이가 되기 위해
사랑에 한계도 조건도 없는
사랑 그 자체인 나에게 꼭 붙어 있으렴!

기도에 대해 오해하는 게 있길래

난 가능성 있는 일에만
기도하라고 한 적 없다.

우리 주님은 세상 쓸모없어 보이고
가능성이 없어 보이는 일이더라도
모든 나의 이야기를 듣기 원하십니다.

정말 사소하게는

좋아하는 이성 이야기같은 거라두요.

우리도 친해지고 싶은 사람이 있으면
그 사람의 관심사에 맞춰서 대화하려고 하잖아요?

주님도 마찬가지예요.
나와 친해지고 싶어 하세요.
내가 관심을 갖고 있는 그 문제로
함께 대화하고 싶어 하세요.

그것이 그분이 사랑하는 자녀와의
교제이기 때문이니까요!

모래로 집을 짓지 말고

빠르게 내 집을 짓고 싶었다.

빨리 결과를 보고 싶었고
당장의 행복을 위해서라면
절제나 기다림보다는 충동적으로 일을 벌였다.
하지만 그 중심이 예수님이 아니었다.
빨리 결과를 보고 싶으니 묻지도 않고
모래로 내 집을 빨리 지으려 했다.
그래서 늘 불안하고 무너졌다.

암만 열심히 내 집을 지어도
다 소용없는 행동이었다.
말씀이 아닌 것을 의지해 지은 집은
늘 불안하고 역시나 늘 무너진다.

너의 급한 마음을 모르는 건 아니야.
보이지 않으니 불안하고
기도해도 당장 결과가 안 나오니까
당장의 모래성이라도 좋으니
의지하고 싶었겠지.
힘들 때는 술이나 담배를 해야
아무 생각이 없어지니 편하고,
미래를 알지 못할 땐 괜히
운세 같은 걸 찾아본다거나…
스트레스 받는다고 먹고, 자고, 충동구매…
(찔림)

하지만 이제는
네가 의지하던 모래성을 버려야 해.
기도하지 않고 기다리지 않고
빠르게 결과를 보던 것들은
금방 네 마음을 다시 허무하게 한단다.

오래 걸리고 기다리더라도,
기도로 준비하고 말씀의 반석 위에 지은 집이
비바람에도 쉽게 흔들리지 않아.
그러니까 이제는 다른 것들을 의지하지 말고
나에게 먼저 묻고 인내와 기다림으로
내 대답을 기다리렴.

나만이 네게 진짜 평안을 줄 수 있으니까!

실패하는 기도는 없어!

주님, 가끔은 말이죠… 기도하면서도
주님이 과연 진짜 이 이야기를 들으실까? 하는 생각이 들어요…
내가 구하는 것들이 잘못된 거면… 어떡하죠…???
어쩔땐 내가 너무 어처구니없는 걸 구하는 건 아닐까 걱정이에요.
내 기도가 무슨 소용이 있나 싶을 때도 많구요.
주님… 내가 너무 약해서 기도하는 것 조차도 힘이 들어요…
수 많은 걱정들이 기도하기를 막는 느낌…

그거 아니?
실패하는 기도라는 건 없어.
어떤 이야기든지 상관없이
내가 네 이야기를 다 듣고 있기 때문이지.

시간이 지난 후에 보면
네 이야기에 관한 내 대답을
어떤 형태로든 반드시 알게 될 거야.

내가 듣지 않을 거라는 두려움에 속아
기도를 포기하지만 말아주렴.
작은 겨자씨만 한 믿음이 산을 옮기듯
너의 짧은 기도 한마디에도
내가 대답할 거란다.

음… 이 이야기에
대한 대답은
이 날에 해 주는 게
제일 좋겠다!

너에게 이런 말을 듣고 싶어

난 사실
미안하다는 말보다
고맙다는 말을 더 좋아해.
그러니 오늘 하루 내게
그 말을 더 들려줄 수 있겠니?

이미 자녀이기 때문에

사람이 너무 바쁘면 번아웃이 온다.
그리고 야속하게도 우리는 번아웃이 오면
제일 먼저 놓는 게 '하나님과의 관계'인 것 같다.

그렇다. 이 이야기를 쓰는 이유는
바쁘다는 이유로 하나님을 외면했던
나를 마주했기 때문이다.

나는 '기독교 작가'라는 위치에서
일러스트 프리랜서 일을 하고 있다.
그래서 하는 일도 대부분
기독교 관련한 업무인 편이다.

빨리 끝내야지,
이거 끝나면 저거
저거 끝나면 그거
그거 끝나면 또
이거…

언젠가 일이 많이 몰려서 번아웃을 겪었다.
나는 하나님과의 교제가 제일 중요한 일들을
주님과의 교제 없이 기계적으로 겨우겨우
끝내는 사람이 되어 있었다.

그렇게 하나님과의 교제를 소홀히 하면서
기계처럼 일만 하다 보니
이건 아닌 것 같다는 생각이 들었다.

…아…
이건 아니지
…
언제부터 이렇게
된 거지?

주님이 나에게 맡겨주신 일인데
맡겨주신 분의 이야기를 듣지 않는다는 게 말이 되나…
하나님의 일을 그저 '일'로, '돈'으로 대했던
나 자신이 정말 부끄럽고 한심했다.

근데 그런 내 모습을 보면서도 별 느낌은 없었다.
그냥 내 태도에 대해

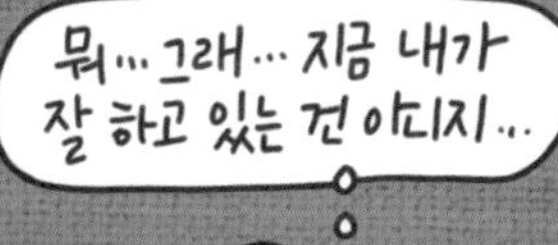

뭐... 그래... 지금 내가
잘 하고 있는 건 아니지...

처절한 회개나 반성 없이
그냥 하나님을 무시하는 죄를 짓고 있는 나를
하염없이 바라보면서 계속 일을 했다.

에휴...
밥 먹을 시간도 없고
잘 시간도 모자란디,
딴 생각 그만하고
빨리 끝내자...

제대로 글러먹은 포인트

양아치 중에 상양아치로 살아가던 중
아는 동생과 연락하다가 동생이 한 말에
나를 다시 돌아보게 되었다.

요즘 너무 바빠서
말씀 묵상은 커녕
기도도 안 하게 되더라구요.
이런 모습 보면 내가 과연
하나님의 자녀가
맞긴 한가... 싶기도 해요.

...

와, 이거 내 모습이랑 완전 똑같다.
나도 내 모습 보면 하나님의 자녀라고
당당하게 말 하긴 좀 그래...

이런 생각을 하기 무섭게 하나님께서 주신 마음이 있다.

너희가 나의 자녀 됨의
모습에 있어서
고민한다는 것 자체가
이미 나의 자녀라는 증거란다!

주님께서 주신 마음은 내 뒤통수를 강하게 쳤다.
효자, 효녀이지 못한 자신의 모습을 고민하는 것도
효자, 효녀이기 이전에 '자녀'이기 때문에
가능한 고민이라며 나의 고민에 즉각 대답해주셨다.

우리가 '하나님의 자녀'로서
온전히 잘 살아가기를 소망하는 것도
이미 '하나님의 자녀'이기 때문이고

주님이 이런 우리의 소망을 들으시고
우리의 이야기에 대답해주시는 것도
이미 우리가 그분의 자녀이기 때문이라며
그렇게 주님은 사랑으로 말씀하고 계셨다.

내가 너의 이야기에
귀 기울이는 이유는
네가 이미 나의
자녀이기 때문이란다.

늘 듣고 있고 늘 대답하고 있어

여호와여 내 기도를 들으시고
나의 부르짖음을 주께 상달하게 하소서
나의 괴로운 날에 주의 얼굴을
내게서 숨기지 마소서
주의 귀를 내게 기울이사
내가 부르짖는 날에 속히 내게 응답하소서

시편 102편 1-2절

여호와께서 그의 높은 성소에서 굽어보시며
하늘에서 땅을 살펴보셨으니
이는 갇힌 자의 탄식을 들으시며
죽이기로 정한 자를 해방하사
여호와의 이름을 시온에서,
그 영예를 예루살렘에서
선포하게 하려 하심이라
그 때에 민족들과 나라들이 함께 모여
여호와를 섬기리로다

시편 102편 19-22절

너의 기도를 귀 기울여 듣고
너를 사랑의 눈으로 바라보며
너에게 내 사랑을 말하는 것이
내가 너와 함께하는 방법이란다.

PART 4

지금까지 그랬듯, 앞으로도 늘 함께!

숨어있는 날 찾아 얼굴을 비추시는 이유

잘 지내는가 싶다가도 어느 순간
그런 생각에 사로잡힌다.

특정 사람, 특정 공동체, 혹은 일하는 곳 동료들 등…
그들에게 버림받거나 그들이 나를 싫어하게 되는 것을
과하게 걱정하고 두려워하게 되는 시기인데

저 사람은 내가
마음에 안 드나…?
표정이 넘 안 좋다…
사려야지…
그냥 원래 표정이다.
실제로는 아무렇지 않음.

문제는 이게 대부분 나의 앞서간 걱정이고
그걸 알면서도 어찌할 줄 몰라 방황한다는 것이다.
그리고 이런 태도가 오히려 상대방에게
상처를 준 적도 참 많았다.

이렇게 두려움이 찾아오게 되면
나는 극복보다는 회피를 먼저 선택하는데,
적당한 선에서의 거리 유지가 아니라
대놓고 도망가는 그런거?

사실 방법이 옳고 그르다는 판단을 할 수는 없다.
사람마다 두려움에서 자유해지는 방법이 다 다르기도 하고
누군가는 회피 속에서 회복이 이루어지기도 하니까.

하지만 나는 회복을 위한 도망이 아니고
하나님으로부터, 사람으로부터 도망가고
당장 편해지기 위해 두려움 뒤로 숨는 거였다.

이제는 두렵고 무섭다는 핑계로

하나님과 사람들과 상황을 피하는 걸

그만 하고 싶은데…

하나님, 나 이제 진짜로
여기서 자유로워지고 싶어요…

힝구

걱정 마, 내가
자유해질 수 있도록 도와줄게
!

"네가 몇 번을 숨어도
나는 너의 어두움에 찾아갈 거야.
마음의 어두움을 걷어내는 방법은
내 얼굴을 구하는 거란다."

여호와는 네게 복을 주시고 너를 지키시기를 원하며
여호와는 그의 얼굴을 네게 비추사 은혜 베푸시기를 원하며
여호와는 그 얼굴을 네게로 향하여 드사
평강 주시기를 원하노라

민수기 6장 24-26절

나침반

그거 아니?
제대로 작동하는 나침반은
올바른 방향을 맞추기 위해
한시도 쉬지 않고 떨리지만
고장난 나침반은 떨림이 없단다.

네가 지금 떨리고 두려움에 둘러싸인 것은
네가 내게 잘 붙어있으려 하기 때문에,
잘하고 있기 때문에 공격받는 거야.
사탄은 너를 나에게서 떨어뜨리는 게 목적이니까
어떻게든 네가 나가 떨어지도록 공격을 엄청나게 퍼부을 거야.
그럴 때일수록, 사랑인 나를 꼭 붙잡으렴.

"내가 너의 그 떨림과 두려움을 알아.
그리고 그 떨림과 두려움을 믿음 없는 것이라
속이는 소리에 속지 말렴."

착한 선택 vs 선한 선택

이 기도들은 하나님의 뜻을 구한다면서 사실은
실패하고 싶지 않다는 마음이 내 안에
크게 자리하고 있을 때 내가 하는 기도의 내용이다.

하나님의 뜻을 구한다면서
사실 내 실패를 하나님께
뒤집어 씌우기 위한 기도의 내용이기도 하다.

그리고 주님은 그런 나에게 이런 대답을 하신다.

그 대답을 듣고 깨달았다.
나는 착한 사람, 능력있는 사람으로 보이고 싶어서
내 선택이 늘 성공이길 원했던 거였다.

애초에 '하나님 뜻'은 그냥 포장이었지
본 목적은 '실패하지 않는 나'였던 것

내가 말씀 앞에서 구해야 하는 것은
완벽한 짝, 완벽한 직장, 멋있는 삶 따위가 아니다.

내가 구해야 하는 것들은
'실패하지 않는 완벽한 삶'이 아니라
'실패 속에서도 주님을 사랑하는 태도로 사는 삶'이다.
늘 주님이 기뻐하시는 것들을 우선순위로 택하며 살길!

주님 안에서의 참 쉼
외주!
그림 묵상!
바빠용
그럴 때가 있다.
할 일이 너무 많아서 쉼조차도
나에게 사치라고 생각 될 때.
회사!
피아노 연습!
외주 미팅!
굿아이디어 입니다요
이번주 콘티 어렵다!
하하 호호

사실 스스로 잘 조절하면서 일정을 잡으면 되는데
프리랜서라는 불안정함과 더 인정받고 싶다는 욕심이
나를 절벽으로 몰았다.

차라리 누가 날 그렇게 만든 거라면
변명이라도 할 텐데…

어느 정도냐면, 일 마무리 안 하고서는
잠 잘 가치도 없다는 식으로
생각하며 일하는 시기이다.

왜 이렇게
머리가 아프지...?
배도 누가 계속
칼로 찢는 느낌...
조금만 정신 놓으면
쓰러질 거 같아

하루에 잠을 세 시간 자면 많이 자던 때였나?
그렇게 한 달 가까이 시간을 보냈을 때
할 일들을 해치우는 중 내가 해치워져버렸다.

배와 머리가 너무 아프고 정신이 아득해지는 것 같아
응급실에 가야하나 진짜 진지하게 고민했었다.
당시 회사도 다니고 있었어서 급히 연차를 미리 내고
다음날의 모든 마감 일정을 조정하는 연락을 돌렸다.

나는 그 와중에도 스스로를 채찍질했고,
그러다가 한 두어 시간 기절했다.

지금 보니 참 안타까운 시절이다.

정신을 차리고 나니 그제서야
내가 뭘 잘못하고 있다는 생각이 들었고
왠지 지금 당장 주님께서 나에게
하시는 말씀이 있을 거라고 생각하고 큐티책을 펼쳤다.

큐티책을 펼쳐서 그 날의 본문 말씀을 보자마자
계속 울었던 기억이 있다.

여호와께서 집을 세우지 아니하시면
세우는 자의 수고가 헛되며
여호와께서 성을 지키지 아니하시면
파수꾼의 깨어 있음이 헛되도다
너희가 일찍이 일어나고 늦게 누우며
수고의 떡을 먹음이 헛되도다
그러므로 여호와께서
그의 사랑하시는 자에게는 잠을 주시는도다.

시편 127편 1-2절

내가 인지하지 못했을 뿐,

다 알고 계시고 다 보고 계셨다.

오죽 안타까우셨으면… 이라는 생각이 들 정도로

가르쳐주시는 하나님의 타이밍이

정말 놀랍다는 생각뿐이었다.

헛된 것에 소망을 두면
쉴 때에도 쉬는 것이 아니지만
나에게 소망을 두면 일을 할 때에도
쉼을 누릴 수 있게 된단다.

이때의 일을 통해 하나님께서는
진짜 우선순위를 가르쳐주셨다.
열심을 내는 것은 좋으나 그 열심은
헛된 것들에 대한 소망이 아닌
주님과 함께 행복하게 지내는 것이
동기가 되어야 한다는 것을.

호세아 같은 사람이 되어라

단비야 너는 호세아 같은 사람이 되어라.
네가 사랑하지 못할 거 같은 사람도
너의 사랑을 거부하는 사람도
또 너의 사랑을 과하게 요구하는 사람도
그저 사랑해주는 사람이 되어라.

잉? 주님, 저는 호세아보다
고멜에 더 가까운 사람인데
제가 어찌 호세아가 되나요?

내가 고멜 이단비에게
호세아 이단비가 되어라 하는 이유는
고멜 이단비만이 나의 사랑을 알고 있기 때문이야.
고멜 이단비로서 내 사랑을 누리며 지내다 보면
그 다음엔 자연스럽게 네가 또 다른 고멜에게
호세아 이단비의 모습을 보이게 될 거란다.

온 세상이 널 등진다 해도

세상이 너를 싫어할 거라는 소리를 두려워하지 마.
온 세상이 널 등져도 나만큼은 너의 곁을 지킬게.
그런 나의 사랑을 알고 믿는다면
세상은 더 이상 두려움의 대상이 아닌
사랑의 대상이 되어 있을 거야.

세상이 너희를 미워하면 너희보다 먼저 나를 미워한 줄을 알라
너희가 세상에 속하였으면 세상이 자기의 것을 사랑할 것이나
너희는 세상에 속한 자가 아니요 도리어 내가
너희를 세상에서 택하였기 때문에 세상이 너희를 미워하느니라

요한복음 15장 18-19절

주기만 해도 두렵지 않고
받기만 해도 당연하지 않고
거절하더라도 슬퍼하지 않는
두려움 없는 완전한 사랑을 누리렴.

사랑 안에 두려움이 없고 온전한 사랑이 두려움을 내쫓나니
두려움에는 형벌이 있음이라 두려워하는 자는
사랑 안에서 온전히 이루지 못하였느니라
우리가 사랑함은 그가 먼저 우리를 사랑하셨음이라

요한일서 4장 18-19절

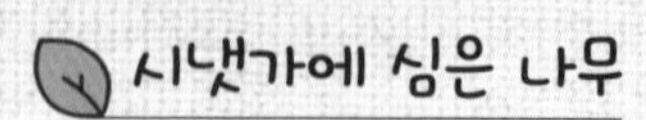

그런 나무가 되고 싶습니다.

물이 가득한 곳으로부터
물이 꼭 필요한 곳까지를 잇는
시냇물이 흐르는 곳,
그 시냇물을 무사히 흘려보내도록
옮겨 심긴 나무가 되고 싶습니다.

시냇가에 옮겨 심긴 나무는
햇빛과 물을 통해 무럭무럭 자라
열매도 얻고 그 잎사귀가
마르지 않고 풍성해지겠지요.

그 풍성한 잎사귀는 그늘이 되어
햇빛으로부터 시냇물이 마르지 않도록
시냇물을 지켜주게 됩니다.
그렇게 지켜진 시냇물은
물이 필요한 곳까지 무사히 흘러가
많은 생명들을 지켜줍니다.

또, 나무 한 그루만으로는
시냇물을 무사히 흘려보내기 어렵겠지만

여러 그루의 나무가 모인다면
일부 나무가 연약하여도
무사히 물을 흘려보낼 수 있지요.

값없이 얻은 은혜로 자라
그 은혜를 필요한 곳에 흘려보내는,
그런 나무로 살아가는 것이 우리의 사명입니다.

그는 시냇가에 심은 나무가 철을 따라 열매를 맺으며
그 잎사귀가 마르지 아니함 같으니
그가 하는 모든 일이 다 형통하리로다

시편 1편 3절

주님께서 나를 부르신다는 것은

이미 주님께서 앞서가셔서
그 길을 가는 동안의 모든 은혜들을
준비해두셨다는 것입니다.

물론 주님이 부르신 길이
무조건적인 탄탄대로라 할 수는 없고,
어쩔 수 없이 나는 좁은 길에서의 고난을 맞이하게 되지요.

그 때 '할 수 없는 나'를 보게 되면
우리는 쉽게 포기하게 되지만

'이미 은혜를 베푸신 주님'에게로 시선을 돌리면
어떤 고난 속에서도 이미 승리한 자임을 확신할 수 있어요.

주님께서 날 부르셨다는 건
어디 내팽개치고 굴리려고 하시는 게 아니라

그분이 친히 준비하신 일에 날 초대하셔서
그 여정 속의 기쁨을 같이 누리려고 부르신 거랍니다.

비교에서 벗어나기

귀에 딱지가 앉도록
듣는 말이겠지만,
비교할 필요가 없단다.
난 모든 사람들에게
똑같은 길로 걸으라고 하지 않아.

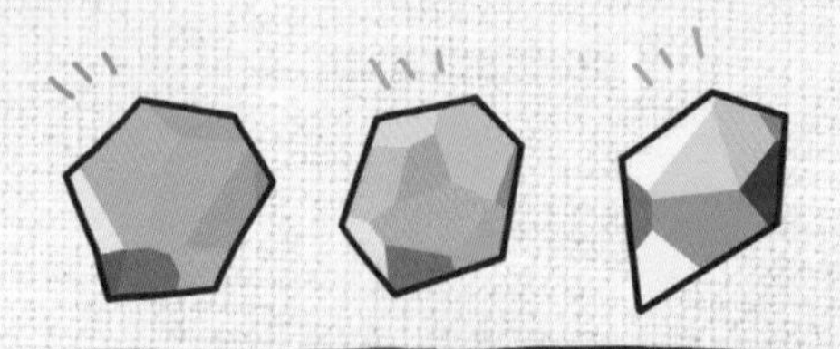
각 사람에게 준 달란트가 다 다르고
각 사람에게 허락한 자리도 다 다르지.
그렇기 때문에 각자의 시간표도 다 다르단다.

!!
비슷하게 생겼어도 왼손과 오른손의
역할이 다른 것과 같단다.
너와 다른 사람들도 마찬가지야.

각기 다른 지체가 한 몸을
제대로 움직이려면
각자의 자리에서 자기의 역할을
잘 지켜야 한단다.
다른 사람들은 비교의 대상이 아닌
아버지의 나라를 위한 동역자란다.
너는 너를 움직이게 하는
머리인 나에게 집중해!

오직 사랑 안에서 참된 것을 하여 범사에 그에게까지 자랄지라
그는 머리니 곧 그리스도라 그에게서 온 몸이
각 마디를 통하여 도움을 받음으로 연결되고 결합되어
각 지체의 분량대로 역사하여 그 몸을 자라게 하며
사랑 안에서 스스로 세우느니라

에베소서 4장 15-16절

SHALOM

우리는 세상을 살아가는 동안
무수히 많은 갈등과 문제, 공격 속에서
살아갈 수 밖에 없을 거예요.
그렇기에 우리가 늘 기억해야 하는
한 가지 사실이 있습니다.

곤란할 때도, 불안할 때도
그 어떤 문제 속에서도 소망이 되시는 분이
언제나 우리에게 평강을 말씀하시며
동행하신다는 것을요!

정말 안타깝긴 하지만
너희가 살고 있는 세상은
여전히 악하고 어두울 거야.

물론 그 안에서도 기쁘고 행복한 순간이 있겠지만
슬프고 화나고 억울한 일도 많겠지.
하지만 내가 그런 너의 모든 순간에
함께한다는 걸 말해주고 싶구나.
어둡고 힘들 때 악에게
마음을 뺏기지 말고 꼭 지키렴.
네 눈물과 분노와 아픔을 씻어줄 테니까.

답이 없는 세상이지만 내가 너의 답이 되어줄게.
아버지께서 날 이 땅에 보내신 것처럼
나도 너를 오늘의 네 시간에 보냈단다.

안녕하지 않은 순간일지라도
평강을 약속하는 나의 인사에 귀 기울이렴.
SHALOM!

항상 기뻐하라

쉬지 말고 기도하라

범사에 감사하라

너희 스스로 기쁨을 얻으려
애쓰지 말고,
늘 나로 인해,
나의 안에서 기뻐하렴

이것이 그리스도 예수 안에서
너희를 향하신 뜻이니라

데살로니가전서 5장 16-18절

여행은…

여행을 할 때 가장 중요한 것은
어디를 가느냐도 아니고
가서 무엇을 하느냐도 아니란다.
누구랑 가느냐가 제일 중요해.
네 인생 여정에 내가
늘 함께라는 걸 기억한다면
너가 어느 곳에 있든지 무엇을 하든지
그곳이 곧 천국이란다.

지금까지, 그리고 앞으로도

네가 지금 나의 이 편지를 읽기까지
널 위해 참 많은 사람이 나의 뒤를 이어왔단다.
가깝게는 널 위해 기도하던 주일학교 선생님이라든가
멀게는 그 땅에 복음이 들어가기까지
애쓴 수많은 선교사, 순교자들…
나의 십자가를 시작으로 많은 피가 흘렀고
수많은 섬김과 희생이 사랑이라는 이름 아래 있었지.

믿음의 선배들이 걸었던 그 길,
좁고 힘들고 고난도 많았지만 그 수고와 땀과 피가 있어서
오늘 너라는 귀한 영혼이 내 이야기를 듣고 있구나.
내가 너를 기뻐하는 만큼 그들도 너를 기뻐하고 있단다.

지금 너는 많이 약하고 부족하고
쓸모없다고 생각할지 모르지만,
나는 너의 과거와 현재의 어떤 모습이 아니라
앞으로의 가능성을 보는 너의 하나님이며,
내가 너를 택하여 세웠단다.

내가 택하여 세운 내 아이야

내가 너와 함께하길 원해.
너의 길에 수많은 계획을 세워두고
만남의 축복도 예비해뒀단다.
네가 생각하는 것 이상으로 너를 많이 사랑해.

너 또한 네가 생각하는 것 이상으로
많은 이들을 내 이름으로 사랑할 수 있단다.

From. Your Jesus

저는 밤 하늘이나
저녁 노을을 정말정말
좋아합니다.

이미 어둡거나 어두워져가는
풍경 속에 보이는 빛들이
제게 위로가 되어준 적이
많았거든요.

"네 생각보다 더 널 사랑해"
이 한 마디가 제 마음에 빛이 된 것 처럼
여러분에게도 따뜻한 빛이
되었으면 좋겠습니다.

어두움에 밝은 빛이 되어주시는
그 사랑의 평강이 가득하길
당신을 축복합니다.
Shalom!

네 생각보다 더 너를 사랑해

초판 1쇄 발행 2021년 2월 8일
초판 8쇄 발행 2025년 3월 10일

지은이 이단비

펴낸이 여진구
책임편집 최현수
편집 이영주 박소영 구주은 안수경 김도연 김아진 정아혜
책임디자인 마영애 | 노지현 조은혜 정은혜
홍보 · 외서 진효지
마케팅 김상순 강성민
제작 조영석 허병용
마케팅지원 최영배 정나영
경영지원 김혜경 김경희

303비전성경암송학교 유니게 과정
이슬비전도학교 / 303비전성경암송학교 / 303비전꿈나무장학회

펴낸곳 규장

주소 06770 서울시 서초구 매헌로 16길 20(양재2동) 규장선교센터
전화 02)578-0003 팩스 02)578-7332
이메일 kyujang0691@gmail.com
홈페이지 www.kyujang.com
페이스북 facebook.com/kyujangbook
인스타그램 instagram.com/kyujang_com
카카오스토리 story.kakao.com/kyujangbook
등록일 1978.8.14. 제1-22

책값 뒤표지에 있습니다.
ISBN 979-11-6504-183-0 03230

규 | 장 | 수 | 칙

1. 기도로 기획하고 기도로 제작한다.
2. 오직 그리스도의 성품을 사모하는 독자가 원하고 필요로 하는 책만을 출판한다.
3. 한 활자 한 문장에 온 정성을 쏟는다.
4. 성실과 정확을 생명으로 삼고 일한다.
5. 긍정적이며 적극적인 신앙과 신행일치에의 안내자의 사명을 다한다.
6. 충고와 조언을 항상 감사로 경청한다.
7. 지상목표는 문서선교에 있다.

하나님을 사랑하는 자 곧 그의 뜻대로 부르심을 입은 자들에게는 모든 것이 合力하여 善을 이루느니라(롬 8:28)

규장은 문서를 통해 복음전파와 신앙교육에 주력하는 국제적 출판사들의 협의체인 복음주의출판협회(E.C.P.A:Evangelical Christian Publishers Association)의 출판정신에 동참하는 회원(Associate Member)입니다.